Traduit de l'allemand par Florence Seyvos

ISBN 978-2-211-21496-4

© 2014, l'école des loisirs, Paris, pour la présente édition
dans la collection « Minimax »
© 2013, l'école des loisirs, Paris, pour l'édition en langue française
© 2012, Carl Hanser Verlag, Munich
Titre de l'édition originale : « Anton und die Spielverderber »
Loi numéro 49 956 du 16 juillet 1949 sur les publications
destinées à la jeunesse : janvier 2013
Dépôt légal : juin 2014
Imprimé en France par Aubin Imprimeur à Ligugé

Édition spéciale non commercialisée en librairie

Ole Könnecke

Anton

et les rabat-joie

l'école des loisirs

11, rue de Sèvres, Paris 6e

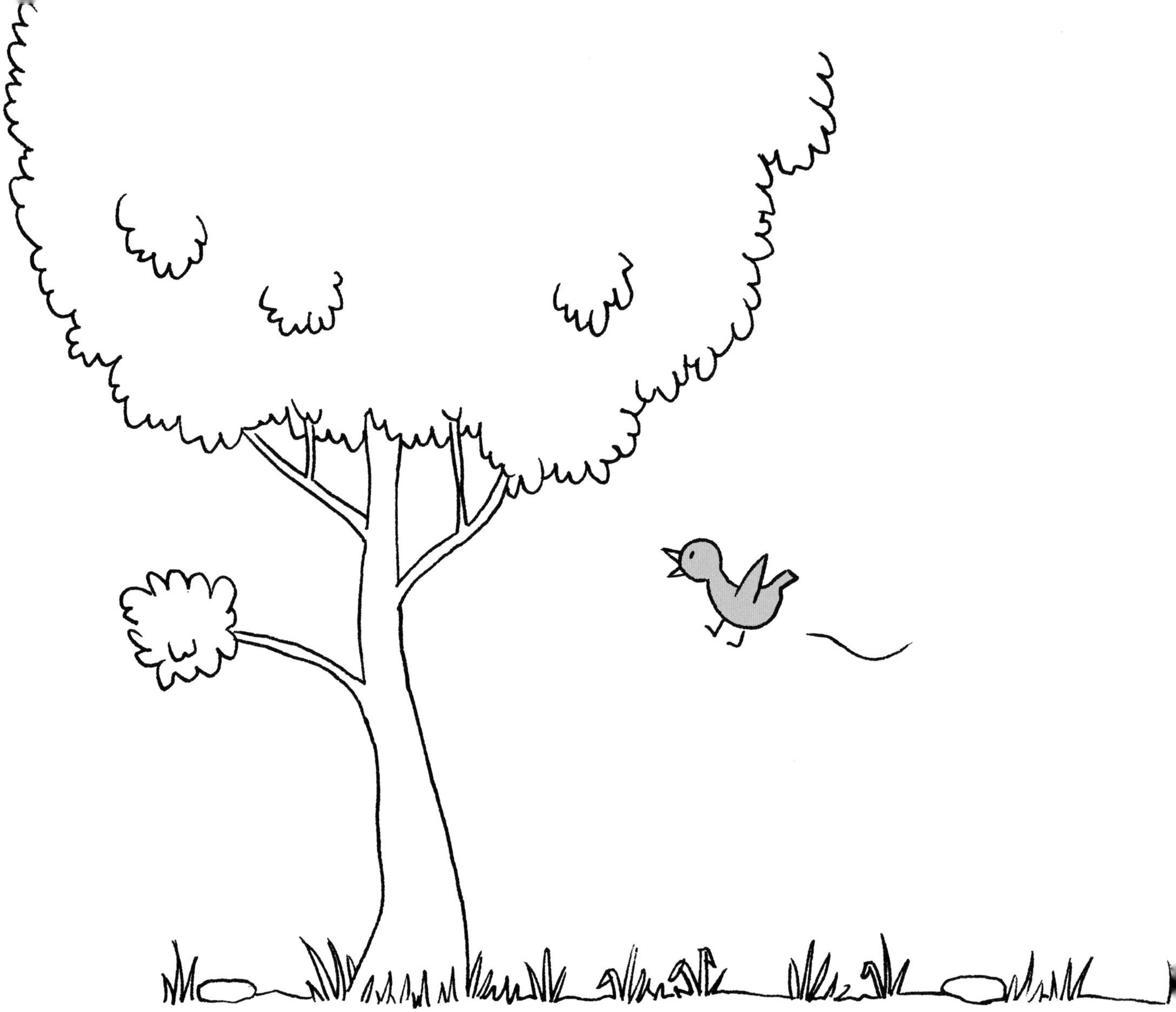

Voilà Anton.
Anton a dans son chariot
du jus de pomme et des gâteaux.

Et voilà Greta, et Nina, et Lukas.
« Si vous le demandez très gentiment, vous aurez peut-être
un peu de jus de pomme et un petit gâteau », dit Anton.

« Merci », dit Greta, « mais on n'a pas le temps. »
« On est en plein travail, tu vois », dit Nina.
« On ratisse, on bêche et on bine », dit Lukas.

« Je peux vous aider ? » demande Anton.
« Seulement si tu as apporté un outil », dit Greta.
« Mais tu n'as pas apporté d'outil », dit Nina.
« Dommage pour toi », dit Lukas.

« SI VOUS NE VOULEZ PAS DE MOI,
ALORS JE M'EN VAIS ! »

« TRÈS BIEN ! PUISQUE C'EST COMME ÇA,
JE M'EN VAIS TOUT DE SUITE !
JE M'EN VAIS ET JE NE REVIENDRAI PLUS JAMAIS !!
PARCE QUE JE SERAI *MORT* !!! »

Anton s'en va.

Anton s'allonge par terre.

Anton est mort.

Tant pis pour eux.

Maintenant, c'est trop tard.

Anton est mort.

Parfaitement mort.

Arrive Lukas.

« Qu'est-ce que tu fais comme ça ? »

« Tu vois bien que je suis mort », dit Anton.

« Vraiment mort ? »   « Absolument ! »

« Super ! » dit Lukas.
« Ne bouge surtout pas, je reviens tout de suite. »

« Je ne peux pas bouger, espèce d'idiot,
PUISQUE JE SUIS MORT ! »

« Regarde ce que j'ai apporté », dit Lukas.

« Avec cette pelle, je vais te creuser une belle tombe.

Il faut que tu sois bien installé. »

Arrivent les filles.

« Rends-nous cette pelle tout de suite », dit Greta.

« Ce n'est pas ta pelle », dit Nina.

« On ne joue plus avec toi », dit Greta.
« Parce qu'on ne joue pas avec les voleurs de pelle »,
dit Nina.

« TRÈS BIEN ! SI VOUS NE VOULEZ PLUS DE MOI,
MOI AUSSI, JE SUIS MORT ! »

Lukas est mort.   **Anton est mort.**

Nina revient, très fâchée.

« CE N'EST MÊME PAS VRAI QUE CETTE PELLE EST À TOI,
GRETA ! DE TOUTE FAÇON, JE NE JOUE PLUS AVEC TOI !
JE ME COUCHE ET JE SUIS MORTE ! »

Nina est morte.

Lukas est mort.   Anton est mort.

Arrive Greta. « Bon, vous revenez jouer ? »

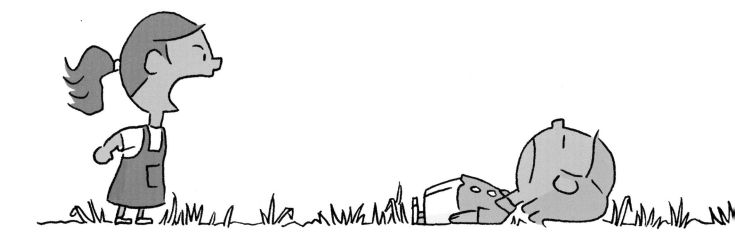

« HÉ ! RÉPONDEZ-MOI ! »

« Très bien. Puisque vous ne me répondez pas,
voilà, je suis morte. Bien fait pour vous. »

Greta est morte.   Nina est morte.

Lukas est mort.   **Anton est mort.**

« Il pleut », dit Greta.

« Ça s'est arrêté », dit Nina.

« On s'en fiche, on est morts », dit Lukas.

« Ça nous est égal, on est morts », dit Anton.

Wouaf !

Le chien veut jouer.   **« TU NOUS DÉRANGES ! »**

Le chien s'en va.   **Maintenant, tout est calme.**

« ON EST MORTS ! »

Tout le monde est mort.

Arrive une fourmi.

Puis une autre fourmi. Et encore une autre fourmi.

Une armée de fourmis.

AU SECOURS !

DES FOURMIS !

Vite ! Filons !

Ouf, on a eu chaud.
Et maintenant, gâteaux et jus de pomme.